CUBE 3000 New Edition Plus
学習ノート Unit 3

本書は「キューブ3000　英単語・熟語　New Edition Plus」を効率よく学習するために作られた学習ノートです。「キューブ3000」に完全準拠しています。学習ノートはUnit 1からUnit 3の3冊で構成されており，それぞれが「キューブ3000」のUnit 1からUnit 3に対応しています。

見出し語を合計4回，ミニマルフレーズを2回（1回は空所補充）繰り返し書くことで，無理なく単語力を定着させることができます。空所の多い例文を書いて完成することで，英作文の力にもつながります。

このノートで，英語力の土台となる語彙力を身につけてください。

使い方

1　見出し語を2回書きます。(左ページ)
2　(　) に単語を書いてミニマル・フレーズを完成します。(左ページ)
3　日本語訳を参考に，(　) に単語を書いて例文を完成します。(右ページ)
4　CDで音声を聞き，音読します。CDの音声にかぶせて読む練習をすると力がつきます。

✤音声ダウンロード

見出し語・ミニマルフレーズ・例文の間にポーズが入った音声は，弊社ホームページより無料ダウンロードが可能です。音声の後に続いてくり返し音読する練習ができます。
http://www.biseisha.co.jp（パスワード：8285）

Unit 3　もくじ

※本書に解答書はありません。

Lesson 1 日常生活

本冊 p. 188, 189

英語を書いて覚えましょう。そのあと，音声を聞いて音読しましょう。

	単語を2回書きましょう			ミニマル・フレーズを完成しましょう
1370	prefer 好む	＿＿＿＿	＿＿＿＿	(　　　) coffee (　　　) tea 紅茶よりコーヒーが好きだ
1371	burn 燃やす	＿＿＿＿	＿＿＿＿	(　　　) the trash ゴミを燃やす
1372	burst 破裂する	＿＿＿＿	＿＿＿＿	(　　　) into tears 突然泣き出す
1373	common ありふれた，共通の	＿＿＿＿	＿＿＿＿	(　　　) mistakes ありふれた間違い
1374	conduct 行い，導く，指揮する	＿＿＿＿	＿＿＿＿	everyday (　　　) 日ごろの行い
1375	constant 絶え間ない	＿＿＿＿	＿＿＿＿	the (　　　) sound of raindrops 絶え間ない雨音
1376	debt 借金	＿＿＿＿	＿＿＿＿	be 10,000 yen in (　　　) 1万円の借金がある
1377	delicate 繊細な，微妙な	＿＿＿＿	＿＿＿＿	a (　　　) position 微妙な立場
1378	exist 存在している	＿＿＿＿	＿＿＿＿	ghosts (　　　) 幽霊が存在する
1379	habit 習慣，癖	＿＿＿＿	＿＿＿＿	be in the (　　　) of smoking 喫煙の習慣がある
1380	lay 置く	＿＿＿＿	＿＿＿＿	(　　　) his coat 彼のコートを置く
1381	likely ～しそうな，可能性が高い	＿＿＿＿	＿＿＿＿	be (　　　) to *do* ～しそうだ
1382	past 過去(の)，～を過ぎて	＿＿＿＿	＿＿＿＿	twenty (　　　) three 3時の20分過ぎ

月　日

	例文の日本語訳	例文を完成しましょう
1370	私は紅茶よりコーヒーが好きだ.	I ( ) ( ) ( ) ( ).
1371	私はおじいさんがゴミを燃やしているのを見た.	I saw the old man ( ) the ( ).
1372	ヨシコは突然泣き出した.	Yoshiko ( ) ( ) ( ).
1373	それはごくありふれた間違いです.	That is a very ( ) ( ).
1374	日ごろの行いが大切だ.	Our ( ) ( ) is important.
1375	私たちには絶え間ない雨音が聞こえていた.	We heard the ( ) ( ) of ( ).
1376	私は友人に１万円の借金がある.	I ( ) 10,000 yen ( ) ( ) to my friend.
1377	彼女は微妙な立場にいた.	She was in a ( ) ( ).
1378	幽霊は本当に存在しているの.	Do ( ) really ( )?
1379	彼は食事の後タバコを吸う習慣がある.	He ( ) ( ) the ( ) of ( ) after eating.
1380	彼はコートを注意深くベッドの上に置いた.	He ( ) his ( ) carefully on the bed.
1381	雨が降りそうだ.	It ( ) ( ) ( ) rain.
1382	今，３時の20分過ぎです.	It's ( ) ( ) ( ).

Lesson 2　日常生活　本冊　p. 190, 191

英語を書いて覚えましょう。そのあと，音声を聞いて音読しましょう。

	単語を2回書きましょう			ミニマル・フレーズを完成しましょう
1383	permit 許可する	＿＿＿＿	＿＿＿＿	be (　　　) 許されている
1384	allow 許す，許可する	＿＿＿＿	＿＿＿＿	(　　　) *one* to use (人)が使うのを許可する
1385	precious 貴重な	＿＿＿＿	＿＿＿＿	(　　　) time 貴重な時間
1386	regular 規則正しい	＿＿＿＿	＿＿＿＿	keep (　　　) hours 規則正しい生活を送る
1387	replace 取り替える	＿＿＿＿	＿＿＿＿	(　　　) A with B A を B に取り替える
1388	situation 状況，立場	＿＿＿＿	＿＿＿＿	in a difficult (　　　) 困難な立場
1389	divorce 離婚，離婚する	＿＿＿＿	＿＿＿＿	get a (　　　) 離婚する
1390	spread 広げる，広がる	＿＿＿＿	＿＿＿＿	(　　　) one's arms wide 両手を大きく広げる
1391	waste 浪費(する)，廃棄物	＿＿＿＿	＿＿＿＿	(　　　) one's time 時間を無駄に使う
1392	hang 吊るす，絞首刑にする	＿＿＿＿	＿＿＿＿	(　　　) a flag 旗を吊るす
1393	dirty 汚い	＿＿＿＿	＿＿＿＿	wash (　　　) clothes 汚れた服を洗う
1394	empty 空っぽの	＿＿＿＿	＿＿＿＿	an (　　　) bottle 空きビン
1395	envelope 封筒	＿＿＿＿	＿＿＿＿	a return (　　　) 返信用封筒

	例文の日本語訳	例文を完成しましょう
1383	ここでは喫煙は許されていません.	Smoking isn't ( ) here.
1384	私は彼が私の車を使うのを許可した.	I ( ) him ( ) ( ) my car.
1385	近道を使うと貴重な時間を節約できます.	You can save ( ) ( ) by using the shortcut.
1386	規則正しい生活を送ることが大切だ.	It is important to ( ) ( ) ( ).
1387	彼らは古い機械を新しいものに取り替えた.	They ( ) the old machine ( ) a new one.
1388	彼は彼女を困難な立場に追い込んだ.	He put her ( ) ( ) ( ) ( ).
1389	彼女は昨年夫と離婚した.	She ( ) a ( ) from her husband last year.
1390	彼は両手を大きく広げてその魚の大きさを示した.	He ( ) his ( ) ( ) to show the size of the fish.
1391	時間を無駄に使うな.	Don't ( ) your ( ).
1392	彼らは窓から旗を吊るした.	They ( ) a ( ) from the window.
1393	兄は汚れた服を洗った.	My brother ( ) his ( ) ( ).
1394	これは空きビンを入れる箱です.	This is a box for ( ) ( ).
1395	切手を貼った返信用封筒を同封してください.	Please include a stamped ( ) ( ).

Lesson 3 日常生活 本冊 p. 192, 193

英語を書いて覚えましょう。そのあと，音声を聞いて音読しましょう。

単語を2回書きましょう			ミニマル・フレーズを完成しましょう
1396	afford 余裕がある	＿＿＿ ＿＿＿	can (　　　) to buy a new car 新車を買う余裕がある
1397	hide 隠す	＿＿＿ ＿＿＿	(　　　) a present under the bed ベッドの下に贈り物を隠す
1398	low 低い	＿＿＿ ＿＿＿	(　　　) price 安い値段
1399	necessary 必要な	＿＿＿ ＿＿＿	(　　　) goods 必需品
1400	sort 種類	＿＿＿ ＿＿＿	this (　　　) of camera この種のカメラ
1401	tool 道具	＿＿＿ ＿＿＿	kitchen (　　　) 台所道具
1402	treasure 宝物，貴重品	＿＿＿ ＿＿＿	art (　　　) 美術の貴重品
1403	search 探す，調査	＿＿＿ ＿＿＿	(　　　) one's pocket for a key 鍵を求めてポケットを探す
1404	remove 取り除く	＿＿＿ ＿＿＿	(　　　) a bad smell 嫌な臭いを消す
1405	handicapped 障害を持っている	＿＿＿ ＿＿＿	physically (　　　) people 身体障害者の人たち
1406	incident ちょっとした出来事	＿＿＿ ＿＿＿	a curious (　　　) 奇妙な出来事
1407	press 押す	＿＿＿ ＿＿＿	(　　　) a button ボタンを押す
1408	movement 動き，運動	＿＿＿ ＿＿＿	make a (　　　) of surprise 驚いた身ぶりをする

	例文の日本語訳	例文を完成しましょう
1396	私たちは新車を買う余裕がある.	We (　　　)(　　　)(　　　)(　　　) a new car.
1397	ジョンはベッドの下に彼女への贈り物を隠した.	John (　　　) a (　　　) for her (　　　) the (　　　).
1398	安い値段でエアコンを買った.	We got the air conditioner at a (　　　)(　　　).
1399	ティッシュペーパーは必需品の1つだ.	Kleenex is one of our (　　　)(　　　).
1400	ここでこの種のカメラを買うことができますか.	Can I get this (　　　)(　　　)(　　　) here?
1401	我々は新しい台所道具を買った.	We bought new (　　　)(　　　).
1402	その部屋には美術の貴重品がたくさんあるよ.	You can find a lot of (　　　)(　　　) in the room.
1403	その少女は鍵を求めてポケットを探した.	The girl (　　　) her (　　　)(　　　) a (　　　).
1404	そのスプレーは嫌な臭いを消す.	The spray (　　　) a (　　　)(　　　).
1405	この車は身体障害者用です.	This car is for (　　　)(　　　) people.
1406	あの奇妙な出来事について聞いたことがあるかい.	Have you ever heard of that (　　　)(　　　)?
1407	緊急事態になったらこのボタンを押しなさい.	(　　　) this (　　　) in an emergency.
1408	私を見て彼は驚いた身ぶりをした.	He (　　　) a (　　　)(　　　)(　　　) when he saw me.

Lesson 4　日常生活　本冊　p. 194, 195

英語を書いて覚えましょう。そのあと，音声を聞いて音読しましょう。

No.	単語を2回書きましょう			ミニマル・フレーズを完成しましょう
1409	lean 体を傾ける			(　　　　) forward 前へ体を傾ける
1410	proper 適当な			a (　　　　) quantity 適量
1411	reasonable 分別のある，手ごろな			at a (　　　　) price 手ごろな値段で
1412	unexpected 意外な，思いがけない			have an (　　　　) call 思いがけない電話がある
1413	bury 埋める			(　　　　) the treasure in the ground 地中に宝物を埋める
1414	dig 掘る			(　　　　) up the treasure 宝物を掘り出す
1415	willing 快く～する			be (　　　　) to *do* 快く～する
1416	join 仲間に加わる			(　　　　) us for dinner 一緒に夕食を食べる
1417	treat 扱う，おごり			(　　　　) like a child 子供扱いする
1418	appreciate 感謝する，鑑賞する			(　　　　) your kindness あなたの親切に感謝する
1419	forget 忘れる			(　　　　) to come 来るのを忘れる
1420	difference 違い			make no (　　　　) たいして違いはない
1421	sound に聞こえる，音			(　　　　) interesting 面白そうだ

例文の日本語訳	例文を完成しましょう
1409 その女性は前へ体を傾けて，ハンドバックを拾い上げた．	The woman (　　) (　　) and picked up her purse.
1410 食べ物は適量とりなさい．	Take a (　　) (　　) of food.
1411 彼は新車を手ごろな値段で買った．	He got his new car (　　) a (　　) (　　).
1412 スーザンから思いがけない電話があった．	I (　　) an (　　) (　　) from Susan.
1413 海賊たちは地中に宝物を埋めた．	The pirates (　　) the (　　) in the (　　).
1414 男たちは宝物を掘り出し始めた．	The men began to (　　) (　　) the (　　).
1415 快くお手伝いします．（嫌じゃないという気持ちを表す）	I'm (　　) (　　) help you.
1416 一緒に夕飯を食べませんか．	Can you (　　) (　　) for (　　)?
1417 私を子供扱いするな．	Don't (　　) me (　　) a (　　).
1418 あなたの親切に感謝します．	I (　　) your (　　).
1419 忘れずに来てください．	Don't (　　) (　　) (　　).
1420 君が来ようが来まいが，たいして違いはない．	It will (　　) (　　) (　　) whether you come or not.
1421 面白そうだ．	It (　　) (　　).

Lesson 5 社交 本冊 p. 196, 197

英語を書いて覚えましょう。そのあと，音声を聞いて音読しましょう。

	単語を2回書きましょう			ミニマル・フレーズを完成しましょう
1422	affair 用事，事件			a personal (　　　　) 私用
1423	behavior ふるまい，行儀			be on one's best (　　　　) 行儀よくしている
1424	stupid おろかな			(　　　　) of me to *do* ～するなんて私はばかだ
1425	fulfill 果たす			(　　　　) a promise 約束を果たす
1426	invite 招待する			(　　　　) many friends to the party パーティーにたくさん友人を招待する
1427	invitation 招待，招待状			send out (　　　　) 招待状を送る
1428	complete 完全な			a (　　　　) stranger 赤の他人
1429	encourage 勇気づける			(　　　　) him to try again 彼をもう1度やってみるようにと励ます
1430	occasion 場合			on (　　　　) ときどき
1431	opportunity 機会，好機			have no (　　　　) to *do* ～する機会がない
1432	trust 信頼(する)			a man to (　　　　) 信頼できる人
1433	attitude 態度，考え方			a relaxed (　　　　) くつろいだ態度

月　日

例文の日本語訳	例文を完成しましょう
1422 私用のために私は行かなかった.	I didn't go because of my (　　) (　　).
1423 息子はいつも行儀よくしている.	Our son is always (　　) his (　　) (　　).
1424 あなたの住所を忘れるなんて私はなんてばかなんでしょう.	How (　　) (　　) (　　) to forget your address!
1425 彼はその約束を果たした.	He (　　) the (　　).
1426 彼女はパーティーにたくさんの友人を招待した.	She (　　) (　　) (　　) to the party.
1427 彼らは招待状をたくさんの友人に送った.	They (　　) (　　) (　　) to many friends.
1428 その男性は赤の他人だ.	That man is a (　　) (　　) to me.
1429 私は彼をもう１度やってみるようにと励ました.	I (　　) him (　　) (　　) (　　).
1430 私はときどき君の無礼な振る舞いに我慢できない.	I can't stand your rude behavior (　　) (　　).
1431 私は女の子に会う機会がない.	I (　　) (　　) (　　) to meet a girl.
1432 彼は信頼できる人だ.	He is a (　　) (　　) (　　).
1433 彼女はくつろいだ態度で私に話しかけてきた.	She spoke to me with a (　　) (　　).

Lesson 6 コミュニケーション 本冊 p. 198, 199

英語を書いて覚えましょう。そのあと，音声を聞いて音読しましょう。

	単語を2回書きましょう			ミニマル・フレーズを完成しましょう
1434	harmless 無害の，悪意のない	＿＿＿	＿＿＿	a (　　　) question 悪意のない質問
1435	loud 大声の	＿＿＿	＿＿＿	laugh out (　　　) 大声で笑う
1436	omit 除外する，入れ忘れる	＿＿＿	＿＿＿	(　　　) one's name ～の名前を入れ忘れる
1437	nonsense ばかげたこと	＿＿＿	＿＿＿	talk such (　　　) ばかなことを言う
1438	particular 特定の	＿＿＿	＿＿＿	nothing (　　　) 特に何もない
1439	weak 弱い	＿＿＿	＿＿＿	in a (　　　) voice 弱々しい声で
1440	courage 勇気	＿＿＿	＿＿＿	have the (　　　) to *do* ～する勇気がある
1441	detail 詳細	＿＿＿	＿＿＿	in (　　　) 詳しく
1442	ignorant 知らない	＿＿＿	＿＿＿	be (　　　) of what happened 何が起きたのか知らない
1443	native 母国の，出生地の，先住民の	＿＿＿	＿＿＿	my (　　　) country 私の生まれ故郷
1444	rumor うわさ	＿＿＿	＿＿＿	a (　　　) that she'll get married 彼女が結婚するといううわさ
1445	point 点，核心	＿＿＿	＿＿＿	get the (　　　) of ～ ～の要点がわかる
1446	truth 真実	＿＿＿	＿＿＿	tell the (　　　) 本当のことを言う
1447	public 公の，公衆	＿＿＿	＿＿＿	in (　　　) 人前で

月　日

例文の日本語訳	例文を完成しましょう
1434 ロイは私に悪意のない質問をした.	Roy asked me a (　　　)(　　　).
1435 彼女は彼の冗談に大声で笑った.	She (　　　)(　　　)(　　　) at his joke.
1436 そのリストに私の名前を入れ忘れているよ.	You have (　　　) my (　　　) from the list.
1437 そんなばかなことは言わないで.	Please stop (　　　)(　　　)(　　　).
1438 何か変わったことはありますか. —特に何もないよ.	What's new? — (　　　)(　　　).
1439 弱々しい声で彼は私に話しかけてきた.	He spoke to me in a (　　　)(　　　).
1440 彼はそう言う勇気がなかった.	He didn't (　　　) the (　　　) to say so.
1441 それについて詳しく話し合う時間はない.	You have no time to talk about it (　　　)(　　　).
1442 私は何が起きたのか知らない.	I (　　　)(　　　)(　　　)(　　　)(　　　).
1443 オーストラリアは私の生まれ故郷です.	Australia is my (　　　)(　　　).
1444 彼女が結婚するといううわさを聞いた.	I heard a (　　　) that she'll (　　　)(　　　).
1445 私は彼の話の要点がわからない.	I don't (　　　) the (　　　)(　　　) his speech.
1446 君はいつも私に本当のことを言ってくれる.	You always (　　　) me the (　　　).
1447 彼は人前で話すことに慣れていない.	He isn't used to talking (　　　)(　　　).

英語を書いて覚えましょう。そのあと，音声を聞いて音読しましょう。

No.	単語を２回書きましょう			ミニマル・フレーズを完成しましょう
1448	crowd 群衆			a large (　　　) of people 大群衆
1449	sign 標識，しるし，証拠			a street (　　　) 道路標識
1450	float 浮く			(　　　) in the sea 海に浮かぶ
1451	mail 郵便(物)			by air (　　　) 航空便で
1452	urgent 緊急の			an (　　　) situation 緊急事態
1453	manage 運営する			(　　　) to make a speech どうにか演説をやりとげる
1454	message 伝言			take a (　　　) 伝言を受ける
1455	careless 不注意な			(　　　) driving 不注意な運転
1456	notice 注意，通知，気づく			take little (　　　) of ～にほとんど気づかない
1457	raise 上げる			(　　　) the Titanic タイタニック号を引き上げる
1458	sight 視野，景色			come into (　　　) 見えてくる
1459	usual 普通の			as (　　　) いつものように
1460	arrival 到着			on (　　　) 到着するとすぐ
1461	avoid 避ける			(　　　) walking on dark streets 暗い通りを歩くの避ける

月　日

	例文の日本語訳	例文を完成しましょう
1448	通りには大群衆がいた.	There was a ( ) ( ) of ( ) on the street.
1449	角の所に道路標識がある.	There is a ( ) ( ) at the corner.
1450	海に浮かぶ船を見てごらん.	Look at the ship ( ) in the ( ).
1451	私は航空便で手紙を出した.	I sent a letter ( ) ( ) ( ).
1452	私たちはそれを緊急事態と考えなければならない.	We must think of it as an ( ) ( ).
1453	私はどうにか演説をやりとげた.	I ( ) ( ) ( ) a ( ).
1454	伝言をうけたまわりましょうか.	Shall I ( ) a ( )?
1455	不注意な運転で彼は交通事故を起こした.	His ( ) ( ) caused an accident.
1456	彼は車にほとんど気づかず，怪我をした.	He ( ) ( ) ( ) ( ) the car and was injured.
1457	タイタニック号を引き上げる計画がある.	They have a plan to ( ) the Titanic.
1458	大きな船が見えてきた.	A big ship ( ) ( ) ( ).
1459	いつものように彼は遅刻した.	( ) ( ), he was late.
1460	彼女は到着するとすぐに私に電話してきた.	She gave me a call ( ) ( ).
1461	彼女は暗い通りを歩くのを避けた.	She ( ) ( ) on ( ) ( ).

Lesson 8 住居 本冊 p. 202, 203

英語を書いて覚えましょう。そのあと，音声を聞いて音読しましょう。

番号	単語を２回書きましょう	意味	ミニマル・フレーズを完成しましょう	訳
1462	ideal	理想的な，理想	an (　　　) house to live in	暮らすのに理想的な家
1463	own	自分自身の，所有する	my (　　　) house	自分の家
1464	furniture	家具類	two pieces of (　　　)	家具を２つ
1465	pull	引く	(　　　) the door open	戸を引いて開ける
1466	lie	横になる	(　　　) on the sofa	ソファーに横になる
1467	interior	内部の，室内の，内部	an (　　　) decorator	インテリアデザイナー
1468	ceiling	天井	from floor to (　　　)	床から天井まで
1469	construction	建設，工事	under (　　　)	工事中
1470	flat	平らな，アパート	get a (　　　) tire	パンクする
1471	inhabitant	住民	a city of eight million (　　　)	住民800万人の町
1472	neat	きちんとした	keep one's room (　　　)	部屋をきちんとしておく
1473	tidy	きちんとした	neat and (　　　)	きちんと整理した
1474	equipment	設備	a hotel with modern (　　　)	最新の設備が整ったホテル

例文の日本語訳	例文を完成しましょう
1462 ここは暮らすのに理想的な家だ.	This is an (　　) (　　) to (　　) (　　).
1463 私はいつの日か自分の家を持ちたい.	I'd like to have (　　) (　　) (　　) someday.
1464 私はこの部屋に家具がもう2つ欲しい.	I want two more (　　) (　　) (　　) in this room.
1465 私たちは戸を引いて開けた.	We (　　) the (　　) (　　).
1466 彼女はソファーに横になっていた.	She was (　　) on the (　　).
1467 彼女はインテリアデザイナーになりたい.	She wants to be an (　　) (　　).
1468 本が床から天井まで積み重なっている.	Books are piled up (　　) (　　) (　　) (　　).
1469 この道路は今工事中だ.	This road is (　　) (　　) now.
1470 銀行に行く途中でパンクした.	I (　　) a (　　) (　　) on the way to the bank.
1471 大阪は住民800万人の町だ.	Osaka is a (　　) (　　) eight million (　　).
1472 母は私にいつも部屋をきちんとするように言う.	My mother always tells me to (　　) my (　　) (　　).
1473 彼女はいつも部屋をきちんと整理している.	She always keeps her room (　　) and (　　).
1474 最新の設備が整ったホテルが東京にはある.	There are hotels (　　) (　　) (　　) in Tokyo.

Lesson 9 ファッション

本冊 p. 204, 205

英語を書いて覚えましょう。そのあと，音声を聞いて音読しましょう。

番号	単語を２回書きましょう			ミニマル・フレーズを完成しましょう
1475	casual 何気ない，ふだん着の	＿＿＿＿	＿＿＿＿	(　　　) clothes ふだん着
1476	clothes 服	＿＿＿＿	＿＿＿＿	baby (　　　) ベビー服
1477	clothing 衣類	＿＿＿＿	＿＿＿＿	an article of (　　　) 衣類１点
1478	current 流行している，今はやりの，流れ	＿＿＿＿	＿＿＿＿	(　　　) fashion 今はやりのファッション
1479	design デザイン(する)	＿＿＿＿	＿＿＿＿	a cup with a flower (　　　) 花柄のコップ
1480	fantastic 素敵な，奇抜な	＿＿＿＿	＿＿＿＿	(　　　) costume 奇抜な衣装
1481	fashion 方法，流行	＿＿＿＿	＿＿＿＿	in his own (　　　) 彼流のやり方で
1482	suitable ふさわしい	＿＿＿＿	＿＿＿＿	clothes (　　　) for the season 季節にふさわしい服装
1483	jewel 宝石	＿＿＿＿	＿＿＿＿	put on (　　　) 宝石を身につける
1484	knit 編む	＿＿＿＿	＿＿＿＿	(　　　) a sweater セーターを編む
1485	loose 緩い，だぶだぶの	＿＿＿＿	＿＿＿＿	a (　　　) coat だぶだぶのコート
1486	modern 現代の，最新の	＿＿＿＿	＿＿＿＿	in (　　　) times 現代では
1487	trousers ズボン	＿＿＿＿	＿＿＿＿	tight (　　　) きついズボン

月　日

例文の日本語訳	例文を完成しましょう
1475 彼はふだん着を着ている.	He wears ( ) ( ).
1476 ベビー服は値段が高い.	( ) ( ) cost a lot.
1477 彼女はその店で衣類3点を買った.	She bought three ( ) ( ) ( ) in the shop.
1478 これは今はやりのファッションだ.	This is a ( ) ( ).
1479 彼女は花柄のコップを私にくれた.	She gave me a cup ( ) a ( ) ( ).
1480 そのパーティーで彼女は奇抜な衣装を着ていた.	She wore a ( ) ( ) at the party.
1481 彼は彼流のやり方でそれをした.	He did it ( ) his ( ) ( ).
1482 季節にふさわしい服装を選ぶべきだ.	You should choose ( ) ( ) ( ) the ( ).
1483 その女性は宝石を身につけた.	The woman ( ) ( ) some ( ).
1484 彼女は自分用のセーターを編んでいる.	She is ( ) a ( ) for herself.
1485 彼女はだぶだぶのコートを着ている.	She wears a ( ) ( ).
1486 このようなことは現代では起こり得ない.	Such things cannot happen ( ) ( ) ( ).
1487 ビルはきついズボンをはいていた.	Bill wore ( ) ( ).

英語を書いて覚えましょう。そのあと，音声を聞いて音読しましょう。

	単語を2回書きましょう			ミニマル・フレーズを完成しましょう
1488	instead of ～の代わりに	＿＿＿＿	＿＿＿＿	(　　　)(　　　) walking 歩く代わりに
1489	unless ～の場合を除いていつも	＿＿＿＿	＿＿＿＿	(　　　) it rains 雨が降る場合を除いて
1490	as long as ～する間は，もし～するなら	＿＿＿＿	＿＿＿＿	(　　)(　　)(　　) you are happy 君が幸せでありさえすれば
1491	as far as ～までは，～する範囲内では	＿＿＿＿	＿＿＿＿	(　　)(　　)(　　) I know 私の知っている限りでは
1492	nowhere どこにも～ない	＿＿＿＿	＿＿＿＿	(　　　) to live 住むところもない
1493	rather ～ than …よりはむしろ～	＿＿＿＿	＿＿＿＿	would (　　　) A (　　　) B B するよりむしろ A したい
1494	not in the least 少しも～でない	＿＿＿＿	＿＿＿＿	be (　　)(　　)(　　)(　　) tired 少しも疲れていない
1495	neither A nor B A も B も～ない	＿＿＿＿	＿＿＿＿	(　　　) Tom (　　　) Bill ～ トムもビルも～ではない
1496	hardly ほとんど～でない	＿＿＿＿	＿＿＿＿	(　　　) understand ほとんどわからない
1497	scarcely ほとんど～でない	＿＿＿＿	＿＿＿＿	(　　　) believe ほとんど信じられない
1498	seldom めったに～しない	＿＿＿＿	＿＿＿＿	(　　　) take a walk めったに散歩しない
1499	rarely めったに～しない	＿＿＿＿	＿＿＿＿	(　　　) go めったに行かない

月　日

例文の日本語訳	例文を完成しましょう
1488 歩く代わりに私たちはタクシーを利用した.	(　　)(　　)(　　), we took a taxi.
1489 雨が降る場合を除いて試合を行うつもりだ.	(　　)(　　)(　　), we will have a game.
1490 あなたが幸せでありさえすれば私はかまわない.	I don't care (　　)(　　)(　　)(　　)(　　) happy.
1491 私の知っている限りでは，彼は正直だ.	(　　)(　　)(　　)(　　)(　　), he is honest.
1492 彼らには食べる物も住むところもなかった.	They had nothing to eat and (　　)(　　)(　　).
1493 私は出かけるよりむしろ家にいたい.	I (　　)(　　) stay at home (　　) go out.
1494 私は少しも疲れていない.	I'm (　　)(　　)(　　)(　　)(　　).
1495 トムもビルもまだ到着していない.	(　　) Tom (　　) Bill has arrived yet.
1496 私は彼の言うことがほとんどわからない.	I (　　)(　　) him.
1497 私はそんなことはほとんど信じられない.	I can (　　)(　　) it.
1498 彼はめったに散歩しない.	He (　　)(　　) a (　　).
1499 彼女はめったに映画に行かない.	She (　　)(　　) to the movies.

英語を書いて覚えましょう。そのあと，音声を聞いて音読しましょう。

	単語を2回書きましょう			ミニマル・フレーズを完成しましょう
1500	wonder 疑問に思う，驚き			(　　　) if she will come 彼女は来るかしら
1501	wish ～であればよいと思う			I (　　　) ～ ～であればよいのだが
1502	intend つもりである			(　　　) to go to college 大学に進学するつもりだ
1503	regard ～と見なす，考える			(　　　) him as a genius 彼を天才と思う
1504	decide 決心[決定]する			(　　　) what to do next 次に何をするか決定する
1505	guess 推測する，思う			I (　　　) (that) ～ ～と思う
1506	suppose 推定する，思う			I (　　　) (that) ～ たぶん～でしょう
1507	determine 判断を下す，決心する			(　　　) to *do* ～しようと決心する
1508	interpret 解釈する，通訳する			(　　　) the poem その詩を解釈する
1509	consider よく考える			(　　　) what to do 何をすべきかをよく考える
1510	imagine 想像する，思う			Can you (　　　) ～? 想像することができますか
1511	recall 思い出す，回収			(　　　) her name 彼女の名前を思い出す
1512	expect 予想する，期待する			than I (　　　) 私が予想していたより
1513	fancy 空想する，空想，好み			(　　　) a life without cars 車のない生活を空想する

月　日

	例文の日本語訳	例文を完成しましょう
1500	彼女は来るかしら.	I (　　) (　　) (　　) (　　) (　　).
1501	それが本当であればよいのだが.	I (　　) it were true.
1502	私は大学に進学するつもりだ.	I (　　) (　　) (　　) (　　) (　　).
1503	たいていの人は彼を天才と思う.	Most people (　　) him (　　) a (　　).
1504	彼は次に何をするか決定することができなかった.	He couldn't (　　) (　　) (　　) (　　) next.
1505	彼は来ると思うよ.	I (　　) he will come.
1506	たぶん彼はすぐに帰って来るでしょう.	I (　　) he will be back soon.
1507	次の学期にはもっと一生懸命勉強しようと決心した方がいい.	You should (　　) (　　) (　　) harder next semester.
1508	私はその詩を解釈できない.	I can't (　　) the (　　).
1509	君は何をすべきかをよく考えなければならない.	You must (　　) (　　) (　　) (　　).
1510	そんな世界を想像することができますか.	(　　) (　　) (　　) such a world?
1511	彼は彼女の名前を思い出そうとした.	He tried to (　　) her (　　).
1512	君は私が予想していたより若いね.	You are younger (　　) (　　) (　　).
1513	車のない生活を空想することができるかい.	Can you (　　) a (　　) (　　) (　　)?

Lesson 12 宗教　本冊 p. 210, 211

英語を書いて覚えましょう。そのあと，音声を聞いて音読しましょう。

No.	単語を2回書きましょう			ミニマル・フレーズを完成しましょう
1514	universe 宇宙，世界	＿＿＿	＿＿＿	make the (　　　　) 宇宙を創造する
1515	belief 信念，信仰	＿＿＿	＿＿＿	one's personal (　　　　) ～個人の信念
1516	church 教会	＿＿＿	＿＿＿	(　　　　) service 教会の礼拝
1517	faith 信頼，信仰	＿＿＿	＿＿＿	(　　　　) in Christianity キリスト教の信仰
1518	ghost 幽霊	＿＿＿	＿＿＿	believe in (　　　　) 幽霊の存在を信じる
1519	inner 内部の	＿＿＿	＿＿＿	one's (　　　　) life 人の精神生活
1520	heaven 天国	＿＿＿	＿＿＿	go to (　　　　) 天国へ行く［亡くなる］
1521	mission 使命，使節団	＿＿＿	＿＿＿	on a secret (　　　　) 秘密の使命を帯びて
1522	priest 聖職者，司祭	＿＿＿	＿＿＿	a Catholic (　　　　) カトリックの司祭
1523	religion 宗教	＿＿＿	＿＿＿	believe in (　　　　) 宗教を信じる
1524	reason 理由，理性	＿＿＿	＿＿＿	one's (　　　　) for living 生きる理由(生きがい)
1525	soul 魂，人	＿＿＿	＿＿＿	save one's (　　　　) 人の魂を救う
1526	mind 心，知性，頭脳	＿＿＿	＿＿＿	a clear (　　　　) はっきりした頭脳

月　日

	例文の日本語訳	例文を完成しましょう
1514	彼らは神が宇宙を創造したと信じている．	They believe that God (　　) (　　) (　　).
1515	それが私個人の信念です．	That's my (　　) (　　).
1516	教会の礼拝は毎週日曜日に行われる．	The (　　) (　　) is held every Sunday.
1517	私はキリスト教を信仰している．	I have (　　) (　　) (　　).
1518	幽霊の存在を信じますか．	Do you (　　) (　　) (　　)?
1519	その小説家は自分自身の精神生活について書いた．	The novelist wrote about his own (　　) (　　).
1520	祖母は天国へ行った．→亡くなった．	My grandmother (　　) (　　) (　　).
1521	彼は秘密の使命を帯びてそのグループに入った．	He joined the group on a (　　) (　　).
1522	彼はカトリックの司祭だ．	He is a (　　) (　　).
1523	世界中で多くの人が宗教を信じている．	A lot of people in the world (　　) (　　) (　　).
1524	若いときに生きる理由を失う者もいる．	Some people lose their (　　) (　　) (　　) when young.
1525	牧師の仕事は人の魂を救うことだ．	The job of a priest is to (　　) people's (　　).
1526	彼は年を取っているが，頭脳ははっきりしている．	He is old, but he has a (　　) (　　).

英語を書いて覚えましょう。そのあと，音声を聞いて音読しましょう。

番号	単語を2回書きましょう	ミニマル・フレーズを完成しましょう
1527	responsible 責任がある	be ( ) for taking care of ～ ～の面倒を見る責任がある
1528	regret 残念(に思う)，後悔	to my ( ) 残念なことに
1529	harmony 調和，平和	in ( ) 仲良く
1530	dead 死んでいる，枯れている	be ( ) 亡くなっている
1531	remind 思い出させる	( ) me of my school days 私に学生時代のことを思い出させる
1532	perform 成し遂げる，演奏する	( ) a duty 義務を遂行する
1533	valuable 貴重な	have a ( ) experience 貴重な経験をする
1534	seem 思える，ようだ	( ) to be happy 幸せそうだ
1535	serious まじめな，深刻な，重大な	a ( ) disease 重病
1536	reality 現実(性)	face ( ) 現実を直視する
1537	circumstance 状況，事情	under the ( ) こういう状況では
1538	complicated 複雑な	a highly ( ) problem 非常に複雑な問題

月　日

例文の日本語訳	例文を完成しましょう
1527 彼は幼い妹の面倒を見る責任があった．	He (　) (　) (　) (　) care of his little sister.
1528 残念なことに，私の友達が学校をやめた．	(　) (　) (　), a friend of mine left school.
1529 彼らは仲良く暮らした．	They lived (　) (　).
1530 祖母が亡くなって５年になる．	Grandmother has (　) (　) for five years.
1531 この写真は私に学生時代のことを思い出させる．	This picture (　) (　) (　) my school days.
1532 彼はただ自分の義務を遂行しただけだ．	He just (　) his (　).
1533 毛利さんは宇宙で貴重な経験をした．	Mr. Mouri had a (　) (　) in space.
1534 彼は幸せそうだ．	He (　) (　) (　) (　).
1535 彼は重病にかかっている．	He is suffering from a (　) (　).
1536 あなたは現実を直視しなければならない．	You must (　) (　).
1537 こういう状況では懸命に働き続けるべきだ．	(　) the (　) we should keep working hard.
1538 これは解決するには非常に複雑な問題だ．	This is a (　) (　) problem to solve.

英語を書いて覚えましょう。そのあと，音声を聞いて音読しましょう。

No.	単語を2回書きましょう			ミニマル・フレーズを完成しましょう
1539	capable できる	______	______	be (　　) (　　) anything 何でもできる
1540	concerned 関係している，心配している	______	______	be (　　) (　　) social welfare 社会福祉の仕事に関係して
1541	haste 急ぎ	______	______	in (　　) 急いで
1542	idle ぶらぶらしている	______	______	be (　　) 仕事がなくぶらぶらしている
1543	occupation 職業，占領	______	______	one's (　　) ～の職業
1544	rest 休憩，残り	______	______	take a (　　) 休憩を取る
1545	thief 泥棒	______	______	catch a (　　) 泥棒を捕える
1546	critic 批評家	______	______	an art (　　) 美術評論家
1547	efficient 有能な，効率的な	______	______	an (　　) secretary 有能な秘書
1548	experience 経験，体験	______	______	long (　　) as a doctor 医者としての長い経験
1549	fact 事実	______	______	the (　　) that she is a teacher 彼女が教師であるという事実
1550	negative 否定的な，消極的な	______	______	have a (　　) attitude (何事も悪いことしか考えない)消極的な態度をとる
1551	familiar 知られている，詳しい	______	______	be (　　) (　　) the streets 通りに詳しい

例文の日本語訳	例文を完成しましょう
1539 ジョンは何でもできる.	John (　) (　) (　) (　).
1540 彼は社会福祉の仕事に関係している.	He (　) (　) (　) social welfare.
1541 彼は急いで仕事を仕上げた.	He finished the work (　) (　).
1542 彼は仕事がなくぶらぶらしている.	He (　) (　).
1543 ご職業は何ですか.	What's your (　)?
1544 労働者はみんな短い休憩を取った.	All the workers (　) a short (　).
1545 警察はその泥棒を捕えた.	The police (　) the (　).
1546 私の母は美術評論家です.	My mother is an (　) (　).
1547 彼女は有能な秘書に違いない.	She must be an (　) (　).
1548 彼女は医者としての長い経験を持つ.	She has (　) (　) (　) a (　).
1549 彼女が教師であるという事実は問題ない.	The (　) (　) (　) (　) a teacher is no problem.
1550 彼は仕事に対して消極的な態度をとる.	He (　) a (　) (　) toward work.
1551 私たちのタクシー運転手は街の通りに詳しい.	Our taxi driver (　) (　) (　) the streets of the city.

英語を書いて覚えましょう。そのあと，音声を聞いて音読しましょう。

No.	単語を２回書きましょう			ミニマル・フレーズを完成しましょう
1552	blind 盲目の	＿＿＿	＿＿＿	go (　　　) 失明する
1553	deaf 耳の聞こえない	＿＿＿	＿＿＿	(　　　) as a stone まったく耳が聞こえない
1554	dumb 物の言えない	＿＿＿	＿＿＿	a school for the deaf and (　　　) 聾唖(ろうあ)学校
1555	advantage 有利な点	＿＿＿	＿＿＿	have an (　　　) over others 他の人より有利である
1556	internal 内部の	＿＿＿	＿＿＿	(　　　) organs 内臓
1557	knee ひざ	＿＿＿	＿＿＿	fall to one's (　　　) ひざまずく
1558	muscle 筋肉，腕力	＿＿＿	＿＿＿	a man of (　　　) 腕力のある男性
1559	pale 青ざめた	＿＿＿	＿＿＿	look (　　　) 顔色が悪い
1560	expression 表現	＿＿＿	＿＿＿	a serious (　　　) 深刻な表情
1561	physical 肉体の，物理的な	＿＿＿	＿＿＿	(　　　) exercise 体操
1562	stomach 胃	＿＿＿	＿＿＿	be sick to one's (　　　) 胃がむかむかする
1563	strength 強さ	＿＿＿	＿＿＿	with all my (　　　) 力いっぱいに
1564	sweat 汗	＿＿＿	＿＿＿	be in a cold (　　　) 冷や汗をかいている
1565	weight 重さ，体重	＿＿＿	＿＿＿	lose (　　　) 体重を減らす

月　　日

	例文の日本語訳	例文を完成しましょう
1552	ヘレンは失明した.	Helen (　　　　) (　　　　).
1553	あの老人はまったく耳が聞こえない.	That old man is (　　　　) (　　　　) a (　　　　).
1554	これはろうあ学校です.	This is a (　　　　) for the (　　　　) and (　　　　).
1555	彼は背が高く，他の人より有利である.	He is tall and has an (　　　　) (　　　　) (　　　　).
1556	心臓は最も大切な内臓の１つである.	The heart is one of the most important (　　　　) (　　　　).
1557	彼らはひざまずいた.	They (　　　　) (　　　　) their (　　　　).
1558	彼は腕力のある男性だ.	He is a (　　　　) (　　　　) (　　　　).
1559	彼女は顔色が悪い.	She (　　　　) (　　　　).
1560	彼は深刻な表情をしていた.	He had a (　　　　) (　　　　).
1561	彼女は体操が好きだ.	She likes (　　　　) (　　　　).
1562	彼は胃がむかむかした.	He was (　　　　) (　　　　) his (　　　　).
1563	イチローは力いっぱいボールを打った.	Ichiro hit a ball (　　　　) (　　　　) his (　　　　).
1564	私は質問に答えられず，冷や汗をかいた.	I couldn't answer the questions and was (　　　　) a (　　　　) (　　　　).
1565	私の娘は体重を減らしたいと思っている.	My daughter wants to (　　　　) (　　　　).

Lesson 16 知性 本冊 p. 218, 219

英語を書いて覚えましょう。そのあと，音声を聞いて音読しましょう。

No.	単語を２回書きましょう	ミニマル・フレーズを完成しましょう
1566	difficult 難しい	a (　　　) book to read 読むのが難しい本
1567	rapid 急速な	make (　　　) progress 急速な進歩をとげる
1568	intellectual 知性に関する，教養のある	(　　　) power 知力
1569	interested 興味がある	be (　　　) in politics 政治に興味を持っている
1570	interest 興味	have (　　　) in science 科学に興味を持っている
1571	thick 分厚い	a (　　　) book 分厚い本
1572	subject 主題，テーマ，教科	discuss a (　　　) ある問題を議論する
1573	aspect 側面，見地	from every (　　　) あらゆる見地から
1574	memory 記憶(力)，思い出	have a good (　　　) 記憶力が良い
1575	smart 賢い，身なりが洗練された	a (　　　) boy 賢い少年
1576	sense 意味，感覚，分別	in a (　　　) ある意味で
1577	imagination 想像(力)	use one's (　　　) 想像力を使う
1578	context 文脈	guess from the (　　　) 文脈から推測する

月　日

例文の日本語訳	例文を完成しましょう
1566 これは読むのが難しい本だ.	This is a (　　　　) book (　　　　)(　　　　).
1567 彼の中国語は急速な進歩をとげた.	He has (　　　　)(　　　　)(　　　　) with his Chinese.
1568 君にはこの本を理解する十分な知力がある.	You have enough (　　　　)(　　　　) to understand this book.
1569 彼女は政治に興味を持っている.	She (　　　　)(　　　　)(　　　　) politics.
1570 私は科学に大変興味を持っている.	I (　　　　) a lot of (　　　　)(　　　　) science.
1571 これは本当に分厚い本だ.	This is a really (　　　　)(　　　　).
1572 私たちはまだその問題を議論していない.	We haven't (　　　　) that (　　　　).
1573 君はこの問題をあらゆる見地から議論すべきだ.	You should talk about this problem (　　　　)(　　　　)(　　　　).
1574 その少女は記憶力が良い.	The girl (　　　　) a (　　　　)(　　　　).
1575 彼は賢い少年だ.	He is a (　　　　)(　　　　).
1576 ある意味ではあなたは正しい.	(　　　　)(　　　　)(　　　　) you are right.
1577 私たちは本を読むときに想像力を使う.	We (　　　　) our (　　　　) when we read.
1578 文脈からその意味を推測してみなさい.	Try to (　　　　) its meaning (　　　　) the (　　　　).

英語を書いて覚えましょう。そのあと，音声を聞いて音読しましょう。

No.	単語を2回書きましょう			ミニマル・フレーズを完成しましょう
1579	author 作家	＿＿＿＿	＿＿＿＿	the (　　　　) of *Romeo and Juliet* 「ロミオとジュリエット」の著者
1580	civilization 文明	＿＿＿＿	＿＿＿＿	Egyptian (　　　　) エジプト文明
1581	culture 文化	＿＿＿＿	＿＿＿＿	suffer severe (　　　　) shock ひどいカルチャーショックを受ける
1582	economics 経済学	＿＿＿＿	＿＿＿＿	major in (　　　　) 経済学を専攻する
1583	generation 世代	＿＿＿＿	＿＿＿＿	only a (　　　　) ago ほんの1世代前
1584	geography 地理（学）	＿＿＿＿	＿＿＿＿	(　　　　) is the study of ～ 地理学は～を研究するものである
1585	capital 首都(の)，資本(金)	＿＿＿＿	＿＿＿＿	the (　　　　) city of Canada カナダの首都
1586	historical 歴史に関する	＿＿＿＿	＿＿＿＿	(　　　　) study 歴史の研究
1587	history 歴史(学)	＿＿＿＿	＿＿＿＿	Japanese (　　　　) 日本史
1588	human 人間，人間の	＿＿＿＿	＿＿＿＿	(　　　　) history 人間の歴史
1589	justice 正義，公正	＿＿＿＿	＿＿＿＿	a sense of (　　　　) 正義感
1590	peculiar 特有の，独特の	＿＿＿＿	＿＿＿＿	customs (　　　　) to Japan 日本独特の習慣
1591	scholar 学者	＿＿＿＿	＿＿＿＿	a (　　　　) of great knowledge 博学の学者
1592	simple 単純な，質素な	＿＿＿＿	＿＿＿＿	(　　　　) English 簡単な英語

月　日

例文の日本語訳	例文を完成しましょう
1579 シェイクスピアは「ロミオとジュリエット」の著者だ.	Shakespeare is the (　　　) (　　　) *Romeo and Juliet.*
1580 ここはエジプト文明の中心地である.	This is the center of the (　　　) (　　　).
1581 外国人はよく日本でひどいカルチャーショックを受ける.	A lot of people from abroad (　　　) (　　　) (　　　) (　　　) in Japan.
1582 彼女は大学で経済学を専攻したい.	She wants to (　　　) (　　　) (　　　) at a university.
1583 ほんの1世代前にはテレビは高価だった.	(　　　) (　　　) (　　　) (　　　), a TV set was expensive.
1584 地理学は世界の国々を研究するものである.	(　　　) is the (　　　) (　　　) the countries of the world.
1585 オタワはカナダの首都だ.	Ottawa is the (　　　) (　　　) (　　　) Canada.
1586 彼女は歴史の研究をしている.	She is engaged in (　　　) (　　　).
1587 私は日本史の授業をとった.	I took a (　　　) (　　　) class.
1588 私は人間の歴史に興味がある.	I'm interested in (　　　) (　　　).
1589 正義感を持たなければいけませんよ.	You must have a (　　　) (　　　) (　　　).
1590 畳の上での生活は日本独特の習慣である.	Living on tatami is a (　　　) (　　　) (　　　) (　　　).
1591 ウィルソン博士は博学の学者だ.	Dr. Wilson is a (　　　) (　　　) great (　　　).
1592 まあ簡単な英語を使うようにしなさい.	Just try to use (　　　) (　　　).

英語を書いて覚えましょう。そのあと，音声を聞いて音読しましょう。

No.	単語を2回書きましょう			ミニマル・フレーズを完成しましょう
1593	sum 合計，要約する	＿＿＿＿	＿＿＿＿	the (　　) of two and five 2と5の合計
1594	chemical 化学の	＿＿＿＿	＿＿＿＿	a (　　) reaction 化学反応
1595	content 中身，内容，満足した	＿＿＿＿	＿＿＿＿	the (　　) of the discussion 討議の内容
1596	pure 純粋な	＿＿＿＿	＿＿＿＿	(　　) gold 純金
1597	alive 生きて	＿＿＿＿	＿＿＿＿	be (　　) 生きている
1598	equal 等しい，平等な	＿＿＿＿	＿＿＿＿	be (　　) in weight 重さが等しい
1599	degree 程度，度，学位	＿＿＿＿	＿＿＿＿	zero (　　) Celsius 摂氏0度
1600	add 加える	＿＿＿＿	＿＿＿＿	(　　) A (　　) B BにAを加える
1601	judge 判断する，裁判官	＿＿＿＿	＿＿＿＿	(　　) from the look of the sky 空模様から判断して
1602	contrast 対比，対照	＿＿＿＿	＿＿＿＿	make a (　　) with ～と対照をなす
1603	shadow 影	＿＿＿＿	＿＿＿＿	the (　　) of the tree 木の影
1604	object 物，目的，反対する	＿＿＿＿	＿＿＿＿	unidentified flying (　　) 未確認飛行物体（UFOのこと）
1605	mystery 不思議，謎	＿＿＿＿	＿＿＿＿	be a (　　) 謎だ
1606	appearance 出現，外見	＿＿＿＿	＿＿＿＿	with the (　　) of the computer コンピュータの出現で

	例文の日本語訳	例文を完成しましょう
1593	2と5の合計は7です.	The (　　) (　　) two and five is seven.
1594	これは重要な化学反応です.	This is an important (　　) (　　).
1595	討議の内容は何でしたか.	What was the (　　) (　　) the (　　)?
1596	この王冠は純金でできている.	The crown is made of (　　) (　　).
1597	この魚は生きている.	This fish (　　) (　　).
1598	これらはみな重さが等しい.	These (　　) all (　　) (　　) (　　).
1599	水は摂氏0度で凍る.	Water freezes at (　　) (　　) (　　).
1600	5に3を加えなさい.	(　　) three (　　) five.
1601	空模様から判断して，今日は雨が降るかもしれない.	We might have rain today, (　　) (　　) the (　　) (　　) the sky.
1602	白い雲が青空と美しい対照をなしている.	White clouds (　　) a beautiful (　　) (　　) a blue sky.
1603	その木の影はだんだん長くなっている.	The (　　) (　　) the (　　) is getting longer and longer.
1604	未確認飛行物体を見たと確信している人々がいる.	Some people are sure to have seen an unidentified (　　) (　　).
1605	生命の起源は謎だ.	The origin of life (　　) a (　　).
1606	コンピュータの出現で我々の生活は変わった.	Our life has changed (　　) the (　　) (　　) the computer.

英語を書いて覚えましょう。そのあと，音声を聞いて音読しましょう。

	単語を2回書きましょう			ミニマル・フレーズを完成しましょう
1607	accordingly それゆえに	＿＿＿＿	＿＿＿＿	(　　　　) I wrote him それで彼に手紙を書いた
1608	actually 実際には	＿＿＿＿	＿＿＿＿	(　　　　), they solved the problem 実は彼らは問題を解決した
1609	after all だって～だから，結局は	＿＿＿＿	＿＿＿＿	(　　　　) (　　　　), he's only a child. だって，彼はまだ子供だ.
1610	anyway ともかく	＿＿＿＿	＿＿＿＿	Thank you, (　　　　). ともかくありがとう.
1611	as a result その結果	＿＿＿＿	＿＿＿＿	(　　　　) (　　　　) (　　　　), she passed the exam その結果，試験に合格した
1612	as a rule 原則として，ふつうは	＿＿＿＿	＿＿＿＿	(　　　　) (　　　　) (　　　　), he doesn't smoke ふだん彼はタバコを吸わない
1613	as well その上～も	＿＿＿＿	＿＿＿＿	Greek (　　　　) (　　　　) その上ギリシア語も
1614	～ at first, but then … 最初は～だが後に…	＿＿＿＿	＿＿＿＿	A (　　　　) (　　　　), (　　　　) (　　　　) B 最初は A だが後に B
1615	for the first time 生まれて初めて	＿＿＿＿	＿＿＿＿	visit (　　　　) (　　　　) (　　　　) (　　　　) 生まれて初めて訪れる
1616	at last ついには	＿＿＿＿	＿＿＿＿	(　　　　) (　　　　) he *did* ついに彼はやった
1617	at once 即座に	＿＿＿＿	＿＿＿＿	start (　　　　) (　　　　) すぐに出発する
1618	before long まもなく	＿＿＿＿	＿＿＿＿	get dark (　　　　) (　　　　) まもなく日が暮れる
1619	besides さらにその上	＿＿＿＿	＿＿＿＿	(　　　　) it's raining その上雨が降っている
1620	furthermore さらにその上	＿＿＿＿	＿＿＿＿	(　　　　) he was hungry さらにその上彼は空腹だった
1621	for example 例えば	＿＿＿＿	＿＿＿＿	grapefruit, (　　　　) (　　　　) 例えばグレープフルーツ
1622	fortunately 幸運なことに	＿＿＿＿	＿＿＿＿	(　　　　), I found it 幸い，私はそれを見つけた.

例文の日本語訳	例文を完成しましょう
1607 彼は来なかった．それで私は彼になぜかと尋ねる手紙を書いた．	He failed to come, (　　　) I wrote him to ask why.
1608 実は，彼らはまだ問題を解決していない．	(　　　), they haven't solved the problem yet.
1609 彼はその問に答えられなかった．だって，彼はまだ子供だ．	He couldn't answer it. (　　　) (　　　), he's only a child.
1610 ともかくありがとう．	Thanks, (　　　).
1611 彼女は懸命に勉強した．その結果，試験に合格した．	She worked hard. (　　　) (　　　) (　　　), she passed the exam.
1612 ふだん彼はタバコを吸わない．	(　　　) (　　　) (　　　), he doesn't smoke.
1613 トムはラテン語を学び，その上ギリシア語も学んだ．	Tom learned Latin, and Greek (　　　) (　　　).
1614 最初は彼が好きではなかった，だが後に親友になった．	I didn't like him (　　　) (　　　), (　　　) (　　　) we became good friends.
1615 生まれて初めて沖縄を訪れた．	I visited Okinawa (　　　) (　　　) (　　　) (　　　).
1616 彼は懸命に勉強してついに試験に合格した．	He worked hard and (　　　) (　　　) he passed the exam.
1617 ジョン，すぐに出発してくれ．	Start (　　　) (　　　), John.
1618 まもなく日が暮れる．	It will get dark (　　　) (　　　).
1619 出かけるのには遅すぎるし，その上，雨が降っている．	It's too late to go out; (　　　) it's raining.
1620 彼は疲れていた，さらにその上，空腹だった．	He was tired, and (　　　) he was hungry.
1621 彼女は水分の多い果物―例えばグレープフルーツが好きだ．	She likes juicy fruits ― grapefruit, (　　　) (　　　).
1622 幸い，彼は別の職を得た．	(　　　), he got another job.

Lesson 20 マスコミ 本冊 p. 226, 227

英語を書いて覚えましょう。そのあと，音声を聞いて音読しましょう。

	単語を2回書きましょう			ミニマル・フレーズを完成しましょう
1623	according to ～によると	______	______	(　　) (　　) newspaper reports 新聞報道によると
1624	announce 公表する，発表する	______	______	(　　) one's engagement 婚約を発表する
1625	article 記事	______	______	a newspaper (　　) 新聞記事
1626	continue 続ける	______	______	to be (　　) 次回に続く
1627	daily 毎日の	______	______	a (　　) newspaper 日刊新聞
1628	feature 容貌，特色，呼び物	______	______	a great (　　) of that program その番組の大きな呼び物
1629	journal 新聞，雑誌	______	______	medical (　　) 医学専門雑誌
1630	journalist 新聞・雑誌記者	______	______	a (　　) on the "Asahi" 「朝日新聞」の記者
1631	magazine 雑誌	______	______	a music (　　) 音楽雑誌
1632	media マスメディア	______	______	leak to the (　　) マスメディアに漏らす
1633	event 出来事	______	______	the chief (　　) of 1960 1960年の主な出来事
1634	medium 手段，中間	______	______	a (　　) for advertising 広告媒体
1635	reflect 反映する，反射する	______	______	(　　) public opinion 世論を反映する

	例文の日本語訳	例文を完成しましょう
1623	新聞報道によると，そのチームが勝った.	(　　　)(　　　) newspaper reports, the team won.
1624	メアリーはジョンとの婚約を発表した.	Mary (　　　) her (　　　) to John.
1625	この新聞記事を読んでごらん.	Read this (　　　)(　　　).
1626	この番組は次回に続く.	This program is (　　　)(　　　)(　　　).
1627	我々は駅で日刊新聞を２部買った.	We bought two (　　　)(　　　) at the station.
1628	生演奏がその番組の大きな呼び物です.	Live music is a great (　　　) of that program.
1629	医者は医学専門雑誌を読む.	Doctors read (　　　)(　　　).
1630	彼は「朝日新聞」の記者だ.	He is a (　　　)(　　　) the "Asahi".
1631	何か音楽雑誌はありますか.	Do you have any (　　　)(　　　)?
1632	彼はマスメディアにそのニュースを漏らした.	He (　　　) the news (　　　) the (　　　).
1633	彼は1960年の主な出来事について語った.	He talked about the (　　　)(　　　)(　　　) 1960.
1634	インターネットは広告媒体になりうる.	The Internet can be a (　　　) for (　　　).
1635	新聞は世論を反映する.	Newspapers (　　　)(　　　)(　　　).

英語を書いて覚えましょう。そのあと，音声を聞いて音読しましょう。

No.	単語を2回書きましょう			ミニマル・フレーズを完成しましょう
1636	president 大統領，社長	________	________	(the) (　　　) of the United States アメリカ合衆国大統領
1637	audience 聴衆	________	________	speak to the (　　　) 聴衆に語りかける
1638	interview 面接，会見	________	________	have an (　　　) with ～と会見する
1639	authority 権威，当局	________	________	a man of (　　　) 権威のある人
1640	act 行動	________	________	a brave (　　　) 勇敢な行動
1641	citizen 国民，市民，住民	________	________	a senior (　　　) 高齢者
1642	democracy 民主主義	________	________	believe in (　　　) 民主主義の価値を信じる
1643	demonstration デモ，証明，実演	________	________	a (　　　) against the war 反戦デモ
1644	principle 原理，主義	________	________	the fundamental (　　　) 基本的原理
1645	document 文書	________	________	an official (　　　) 公文書
1646	elect 選出する	________	________	(　　　) him chairperson 彼を議長に選出する
1647	former 前の，元の，前者	________	________	a (　　　) Prime Minister 元首相
1648	govern 統治する	________	________	be (　　　) by England イギリスに統治される
1649	government 政府，政治	________	________	a (　　　) official 政府役人

例文の日本語訳	例文を完成しましょう
1636 ジョージ・ブッシュがアメリカ合衆国大統領に選ばれた.	George Bush was elected (　　)(　　) the (　　)(　　).
1637 大統領は大勢の聴衆に語りかけた.	The President (　　)(　　) the large (　　).
1638 彼女は大統領と会見した.	She (　　) an (　　)(　　) the President.
1639 私は権威のある人からそれを聞いた.	I heard it from a (　　)(　　)(　　).
1640 人々は彼の勇敢な行動をほめた.	People praised him for his (　　)(　　).
1641 これは高齢者向けの食事だ.	This is a meal for (　　)(　　).
1642 ほとんどの人は民主主義の価値を信じている.	Most people (　　)(　　)(　　).
1643 反戦デモが行われた.	A (　　)(　　) the (　　) was held.
1644 民主主義の基本的原則はすべての人が平等だということだ.	The (　　)(　　) of democracy is that everyone is equal.
1645 公文書の大半は公開されている.	Most of the (　　)(　　) are open to the public.
1646 彼らは彼を議長に選出した.	They (　　) him (　　).
1647 森氏は元首相だ.	Mr. Mori is a (　　)(　　)(　　).
1648 インドはかつてイギリスに統治されていた.	India (　　) once (　　)(　　) England.
1649 政府役人の数は減らすべきだ.	(　　)(　　) should be reduced in number.

英語を書いて覚えましょう。そのあと，音声を聞いて音読しましょう。

No.	単語を２回書きましょう	ミニマル・フレーズを完成しましょう
1650	independent 自立した，独立した	an (　　　) nation 独立国
1651	individual 個人，個々の	the rights of the (　　　) 個人の権利
1652	international 国際的な	an (　　　) conference 国際会議
1653	legal 法律に関する，合法の	a (　　　) right 法的権利
1654	liberty 自由	fight for (　　　) 自由を求めて戦う
1655	majority 多数，過半数	get a (　　　) 過半数を獲得する
1656	minority 少数(派)	(　　　) groups 少数民族
1657	national 国(民)の	a (　　　) holiday 国民の祝祭日
1658	nationality 国籍	one's (　　　) ～の国籍
1659	peace 平和，安らぎ	(　　　) and quiet 安らぎと静けさ
1660	permanent 永遠の	(　　　) peace 永久平和
1661	policy 政策，方針	government's (　　　) 政府の政策

例文の日本語訳	例文を完成しましょう
1650 我々は独立国に住んでいるのだ.	We live in an (　　　)(　　　).
1651 我々は個人の権利を尊重しなければならない.	We must respect the (　　　) of the (　　　).
1652 京都で国際会議が開かれた.	They held an (　　　)(　　　) in Kyoto.
1653 すべての人に投票の法的権利がある.	Everyone has a (　　　)(　　　) to vote.
1654 彼らは自由を求めて戦った.	They (　　　)(　　　)(　　　).
1655 あの政党は国会で過半数を獲得できなかった.	That party couldn't (　　　) a (　　　) in the Diet.
1656 中国には多くの少数民族がいる.	China has a lot of (　　　)(　　　).
1657 1年に国民の祝祭日は何日ありますか.	How many (　　　)(　　　) do we have in a year?
1658 あなたの国籍はどこですか.	What's your (　　　)?
1659 我々には安らぎと静けさが必要だ.	We need (　　　) and (　　　).
1660 みなが永久平和のために奮闘すべきだ.	Everyone should struggle for (　　　)(　　　).
1661 私は政府の政策に賛成ではない.	I don't agree with the (　　　)(　　　).

英語を書いて覚えましょう。そのあと，音声を聞いて音読しましょう。

No.	単語を2回書きましょう			ミニマル・フレーズを完成しましょう
1662	politics 政治(学)	＿＿＿＿	＿＿＿＿	enter (　　　) 政界に入る
1663	political 政治の	＿＿＿＿	＿＿＿＿	a (　　　) party 政党
1664	population 人口，住民	＿＿＿＿	＿＿＿＿	the (　　　) of Japan 日本の人口
1665	power 権力，力，電力，大国	＿＿＿＿	＿＿＿＿	an economic (　　　) 経済大国
1666	society 社会	＿＿＿＿	＿＿＿＿	an aging (　　　) 高齢化社会
1667	social 社会の，社交的な	＿＿＿＿	＿＿＿＿	(　　　) security 社会保障制度
1668	symbol 象徴，記号	＿＿＿＿	＿＿＿＿	a (　　　) of peace 平和の象徴
1669	revolution 革命	＿＿＿＿	＿＿＿＿	the Industrial (　　　) 産業革命
1670	right 権利，右，右の	＿＿＿＿	＿＿＿＿	a (　　　) to speak freely 自由に話す権利
1671	ordinary 普通の，通常の	＿＿＿＿	＿＿＿＿	(　　　) way 普通のやり方
1672	rule 規則，法律，支配，支配する	＿＿＿＿	＿＿＿＿	be against the (　　　) 規則違反だ
1673	statement 声明	＿＿＿＿	＿＿＿＿	make a (　　　) 声明を出す
1674	tax 税金	＿＿＿＿	＿＿＿＿	a heavy (　　　) 重税

例文の日本語訳	例文を完成しましょう
1662 彼は30歳で政界入りした.	He (　　　)(　　　) when he was thirty.
1663 あなたはどの政党に所属していますか.	What (　　　)(　　　) do you belong to?
1664 日本の人口はいくらですか.	What is the (　　　)(　　　)(　　　)?
1665 日本は世界の経済大国と呼ばれている.	Japan is called a world (　　　)(　　　).
1666 日本は急速に高齢化社会になりつつある.	Japan is rapidly becoming an (　　　)(　　　).
1667 政府は社会保障制度を改革しようとしている.	The government is trying to reform (　　　)(　　　).
1668 ハトは平和の象徴である.	The dove is a (　　　)(　　　)(　　　).
1669 産業革命がどこで起こったのか知っていますか.	Do you know where the (　　　)(　　　) took place?
1670 誰にでも自由に話す権利がある.	Everyone has a (　　　)(　　　)(　　　) freely.
1671 普通のやり方では我々はその問題を解けない.	We can't solve the problem in the (　　　)(　　　).
1672 無免許運転は規則違反だ.	Driving without a license (　　　)(　　　) the (　　　).
1673 首相は報道機関に声明を出した.	The Prime Minister (　　　) a (　　　) to the press.
1674 高齢化社会では若者は重税を負うだろう.	Young people will have (　　　)(　　　) in the aging society.

Lesson 24 性格 本冊 p. 234, 235

英語を書いて覚えましょう。そのあと，音声を聞いて音読しましょう。

No.	単語を2回書きましょう			ミニマル・フレーズを完成しましょう
1675	apt 傾向がある	______	______	be ( ) to get angry 怒りっぽい
1676	careful 注意深い	______	______	be ( ) about one's language 言葉に注意する
1677	remain ままである	______	______	( ) cool 落ち着いている
1678	character 性格，登場人物，文字	______	______	in ( ) 性格に合った
1679	clever 利口な	______	______	be ( ) at mathematics 数学ができる
1680	confidence 信頼，自信	______	______	have ( ) 自信がある
1681	fault 欠点，責任	______	______	find ( ) with others 他人の欠点捜しをする
1682	gentle 優しい	______	______	be ( ) to others 他人に対して優しい
1683	graceful 優雅な，上品な	______	______	a ( ) dancer 優雅なダンサー
1684	honest 正直な，誠実な	______	______	an ( ) boy 正直な少年
1685	action 行動	______	______	a man of ( ) 行動の人
1686	lazy 怠惰な	______	______	be ( ) 怠ける
1687	lively 元気な	______	______	be ( ) 元気を出す
1688	personality 個性，人格	______	______	have a very strong ( ) とても個性が強い

例文の日本語訳	例文を完成しましょう
1675 彼は怒りっぽい.	He (　) (　) (　) (　) (　) (　).
1676 言葉に注意しろよ.	You must (　) (　) (　) your (　).
1677 彼女はいつも落ち着いている.	She always (　) (　).
1678 暴力は彼の性格に合わなかった.	Violence wasn't (　) (　) for him.
1679 あの学生は数学ができる.	That student (　) (　) (　) mathematics.
1680 彼には自信がなかった.	He had no (　).
1681 君は他人の欠点捜しをしない方がいいよ.	You shouldn't (　) (　) (　) others.
1682 あなたは他人に対して優しい.	You (　) (　) (　) others.
1683 彼女はとても優雅なダンサーだ.	She is a very (　) (　).
1684 彼は正直な少年だ.	He is an (　) (　).
1685 彼は行動の人だ.	He is a (　) (　) (　).
1686 怠けるなよ.	Don't (　) (　).
1687 もうちょっと元気が出せないのか.	Can you be a little more (　)?
1688 彼女はとても個性が強い.	She (　) a very strong (　).

Lesson 25 性格　本冊 p. 236, 237

英語を書いて覚えましょう。そのあと，音声を聞いて音読しましょう。

No.	単語を2回書きましょう			ミニマル・フレーズを完成しましょう
1689	polite 礼儀正しい	______	______	in a (　　　) manner 礼儀正しい態度で
1690	rude 無礼な	______	______	a (　　　) attitude 無礼な態度
1691	secret 秘密	______	______	keep a (　　　) 秘密を守る
1692	sensitive 敏感な	______	______	be (　　　) to ～ ～に敏感である
1693	humor ユーモア，機嫌	______	______	a sense of (　　　) ユーモアを解する心
1694	shy 内気な	______	______	a (　　　) girl 内気な少女
1695	silly おろかな	______	______	ask a (　　　) question ばかげた質問をする
1696	tend 傾向がある	______	______	(　　　) to be late 遅れがちである
1697	tendency 傾向	______	______	have a (　　　) to tell lies うそをつく傾向にある
1698	remarkable 目立った	______	______	be (　　　) for ～ ～で目立っている
1699	obvious 明らかな	______	______	(　　　) lies 見え透いたうそ
1700	prove 証明する，わかる	______	______	(　　　) to be ～ ～だとわかる
1701	conscious 気づいている，意識している	______	______	be (　　　) of her fault 彼女の欠点に気づいている

月　　日

例文の日本語訳	例文を完成しましょう
1689 たいへん礼儀正しい態度で彼女は「こんにちは」と言った.	She said "Hello" (　　　) a very (　　　) (　　　).
1690 彼の無礼な態度が私たちを怒らせた.	His (　　　) (　　　) made us angry.
1691 ボブは秘密を守れない.	Bob cannot (　　　) a (　　　).
1692 彼は彼女の気持ちに敏感です.	He (　　　) (　　　) (　　　) her feelings.
1693 彼にはユーモアを解する心がない.	He has no (　　　) (　　　) (　　　).
1694 彼女は内気な少女らしい.	She seems to be a (　　　) (　　　).
1695 君はいつもばかげた質問ばかりするね.	You are always asking (　　　) (　　　).
1696 彼は月曜日には遅れがちである.	He (　　　) (　　　) (　　　) late on Mondays.
1697 彼にはうそをつく傾向がある.	He (　　　) a (　　　) (　　　) tell lies.
1698 彼は勇気で目立っている. (→驚くほど勇敢だ)	He (　　　) (　　　) (　　　) his courage.
1699 私にそんな見え透いたうそを言うな.	Don't tell me such (　　　) (　　　).
1700 彼女が誠実だとわかった.	She (　　　) (　　　) (　　　) honest.
1701 夫は彼女の欠点に気づいていた.	Her husband (　　　) (　　　) (　　　) her (　　　).

Lesson 26 認識 本冊 p. 238, 239

英語を書いて覚えましょう。そのあと，音声を聞いて音読しましょう。

	単語を2回書きましょう			ミニマル・フレーズを完成しましょう
1702	opinion 意見	______	______	in one's (　　　) ～の考えでは
1703	distinguish 区別する	______	______	(　　　) A from B A と B を区別する
1704	doubt 疑う，～ではないと思う，疑い	______	______	(　　　) whether ～ ～ではないと思う
1705	idea 考え	______	______	a good (　　　) すばらしい考え
1706	importance 重要性	______	______	a man of (　　　) 重要人物
1707	impossible 不可能な，ありえない	______	______	It's (　　　) for A to *do* ～ A が～することは不可能である
1708	impression 印象，感銘	______	______	first (　　　) of Japan 日本の第一印象
1709	judgment 判断	______	______	make a (　　　) 判断を下す
1710	minimum 最小限(の)	______	______	make a (　　　) effort 最小限の努力をする
1711	view 見方，考え方	______	______	world (　　　) 世界観
1712	apparent 明らかな	______	______	～ be (　　　) ～は明らかだ
1713	attention 注意	______	______	pay (　　　) to ～ ～に注意を払う
1714	aware 気づいている	______	______	be (　　　) of the danger 危険に気づいている
1715	moral 道徳の，道徳	______	______	a (　　　) issue 道徳の問題

例文の日本語訳	例文を完成しましょう
1702 私の考えではあなたは間違っている.	(　　) my (　　), you are wrong.
1703 善悪を区別するのは難しい.	It is difficult to (　　) good (　　) bad.
1704 我々は彼の計画が成功しそうではないと思う.	We (　　)(　　) his plan will be successful.
1705 それはすばらしい考えだ.	That's a (　　)(　　).
1706 彼は重要人物だ.	He is a man (　　)(　　).
1707 彼がその問題を解くことは不可能である.	It's (　　)(　　) him (　　) solve the problem.
1708 日本についての君の第一印象はどうですか.	What's your (　　)(　　)(　　) Japan?
1709 彼らはこの問題に関して判断を下した.	They (　　) a (　　) on this problem.
1710 彼は最小限の努力しかしない.	He only (　　) a (　　)(　　).
1711 彼の世界観は誰も変えられない.	Nobody can change his (　　)(　　).
1712 彼の失敗は明らかだ.	His failure is (　　).
1713 我々は彼の態度に注意を払った.	We (　　)(　　)(　　) his behavior.
1714 私たちはみな危険に気づいていた.	All of us (　　)(　　)(　　) the danger.
1715 それは道徳の問題だ.	It is a (　　)(　　).

Lesson 27 リンクワード 本冊 p. 240, 241

英語を書いて覚えましょう。そのあと，音声を聞いて音読しましょう。

No.	単語を2回書きましょう			ミニマル・フレーズを完成しましょう
1716	generally 一般的に	________	________	generally (　　　) 一般的に言って
1717	however しかしながら，どんなに～しようとも	________	________	The problem, (　　　), ～ しかしながらその問題は～
1718	in addition さらにその上	________	________	(　　)(　　　), it was cold その上寒かった
1719	in contrast それとは対照的に	________	________	Tom, (　　)(　　　), ～ 対照的にトムは～
1720	in fact 実際，事実，実際には	________	________	(　　)(　　　) he's at the top 実際彼はトップだ
1721	in other words 言い換えると	________	________	(　　)(　　　)(　　　), Tom wants to ～ 言い換えるとトムは～したいのだ
1722	likewise 同様に	________	________	she hated him (　　　) 同様に彼女も彼を憎んだ
1723	mostly たいていの場合	________	________	(　　　) he drinks ～ たいてい彼は～を飲む
1724	nevertheless それにもかかわらず	________	________	(　　　), he went swimming それにもかかわらず，彼は泳ぎに行った
1725	to the contrary それと反対の	________	________	something (　　)(　　)(　　　) それと反対のこと
1726	on the other hand 他方では	________	________	(　　)(　　)(　　)(　　), apples are good for ～ 他方ではリンゴは～にいい
1727	otherwise さもなければ	________	________	(　　　) you will miss ～ さもないと～に乗り遅れるよ
1728	therefore それゆえに	________	________	(　　　) I am 故に我あり
1729	thus それゆえに，こうして	________	________	(　　　) I was late それで私は遅刻した
1730	unfortunately 不幸にも	________	________	(　　　), the train had already left あいにく電車は発車していた

例文の日本語訳	例文を完成しましょう
1716 一般的に言って東京の電車は混んでいる．	(　　　)(　　　), the trains are crowded in Tokyo.
1717 しかしながらその問題はもっと注意深く考えるべきだ．	The problem, (　　　), should be considered more carefully.
1718 暗かったし，その上寒かった．	It was dark; (　　　)(　　　), it was cold.
1719 対照的にトムは行儀が良い．	Tom, (　　　)(　　　), is well-behaved.
1720 彼はいい学生だ，実際彼はクラスのトップだ．	He's a good student, (　　　)(　　　) he's at the top of the class.
1721 言い換えるとトムはその招待を断りたいのだ．	(　　　)(　　　)(　　　), Tom wants to refuse the invitation.
1722 ビルは叔母を憎んだが，同様に彼女も彼を憎んだ．	Bill hated his aunt, and she hated him (　　　).
1723 たいてい彼はビールを飲む．	(　　　) he drinks beer.
1724 雨が降っていた．それにもかかわらず彼は泳ぎに行った．	It was raining; (　　　), he went swimming.
1725 彼女はそれと反対のことを言った．	She said (　　　)(　　　)(　　　)(　　　).
1726 私はリンゴが嫌いだが，他方ではリンゴは健康にいい．	I hate apples; (　　　)(　　　)(　　　)(　　　), they are good for my health.
1727 急ぎなさい，さもないと列車に遅れるよ．	Hurry up, (　　　) you will miss the train.
1728 我思う．故に我あり．	I think; (　　　) I am.
1729 私は事故に遭い，それで遅刻した．	I had an accident and (　　　) I was late.
1730 駅まで走ったが，あいにく電車は既に発車していた．	I ran to the station. (　　　), the train had already left.

英語を書いて覚えましょう。そのあと，音声を聞いて音読しましょう。

No.	単語を２回書きましょう			ミニマル・フレーズを完成しましょう
1731	purpose 目的	______	______	the (　　　) of this project この計画の目的
1732	decision 決心，決定	______	______	make a (　　　) to leave 出発することに決定する
1733	desire 願望，強く望む	______	______	a (　　　) to be rich 金持ちになりたいという願望
1734	eager 熱望して	______	______	be (　　　) to pass 合格したいと熱望している
1735	intention 意図，つもり	______	______	have no (　　　) of studying English 英語を勉強するつもりはない
1736	motive 動機，モチーフ	______	______	from (　　　) of kindness 親切心から
1737	specific 特定の，明確な，具体的な	______	______	a (　　　) aim 明確な目的
1738	spirit 精神，気性，心	______	______	young in (　　　) 気は若い
1739	thought 考え，思想	______	______	express one's (　　　) ～の考えを言い表す
1740	tradition 伝統，しきたり	______	______	ancient (　　　) 古くからのしきたり
1741	custom 慣習，関税	______	______	follow old (　　　) 古い慣習に従う
1742	demand 要求する，要求	______	______	(　　　) an answer 返答を要求する

月　日

	例文の日本語訳	例文を完成しましょう
1731	この計画の目的は何ですか.	What is the (　　　　) of this (　　　　)?
1732	私たちは出発することに決定したところだ.	We've just (　　　　) a (　　　　) (　　　　) (　　　　).
1733	誰にも金持ちになりたいという願望がある.	Everyone has a (　　　　) (　　　　) be (　　　　).
1734	彼は試験に合格したいと熱望している.	He (　　　　) (　　　　) (　　　　) pass the exam.
1735	私はもうこれ以上英語を勉強するつもりはない.	I (　　　　) (　　　　) (　　　　) (　　　　) (　　　　) studying English any more.
1736	彼が助けてくれたのは親切心からだった.	He helped me (　　　　) (　　　　) (　　　　) (　　　　).
1737	彼には大学へ行く明確な目的がない.	He has no (　　　　) (　　　　) to go to university.
1738	彼は歳はとっても気は若い.	He is old in years, but (　　　　) (　　　　) (　　　　).
1739	君の考えを言い表すだけでいいよ.	All you have to do is (　　　　) your (　　　　).
1740	若者たちは古くからのしきたりに従わない.	Young people don't follow (　　　　) (　　　　).
1741	私は古い慣習には従いたくない.	I don't want to (　　　　) old (　　　　).
1742	彼らは私に返答を要求した.	They (　　　　) an (　　　　) of me.

 本冊 p. 244, 245

英語を書いて覚えましょう。そのあと，音声を聞いて音読しましょう。

No.	単語を2回書きましょう			ミニマル・フレーズを完成しましょう
1743	actor 俳優，男優			a comic (　　　　　) 喜劇俳優
1744	beauty 美，美しい人[物]			‘(　　　　　) and the Beast’ 「美女と野獣」
1745	dramatic 劇的な			a (　　　　　) event 劇的な出来事
1746	talent 才能			a man of great (　　　　　) すばらしい才能を持った人
1747	official 公の，公務員			an (　　　　　) world record 公認世界記録
1748	interesting 面白い，興味深い			an (　　　　　) TV program 面白いテレビ番組
1749	amusing 面白い，愉快な			an (　　　　　) game 面白いゲーム
1750	keen 熱心な			be (　　　　　) on tennis テニスに熱中している
1751	hero 英雄			a national (　　　　　) 国民的英雄
1752	silent 静かな，黙っている			a (　　　　　) film 無声映画
1753	theater 劇場，映画館			a movie (　　　　　) 映画館
1754	dull 退屈な			a (　　　　　) movie 退屈な映画
1755	entertain 楽しませる			be (　　　　　) by karaoke カラオケを楽しむ
1756	movie 映画，映画館			go to the (　　　　　) 映画を見に行く

	例文の日本語訳	例文を完成しましょう
1743	彼は有名な喜劇俳優だ.	He is a famous (　　　)(　　　).
1744	君はもう「美女と野獣」を見たかい.	Have you already seen '(　　　) and the (　　　)'?
1745	それは劇的な出来事だった.	That was a (　　　)(　　　).
1746	イチローはすばらしい才能を持った野球選手だ.	Ichiro is a baseball player (　　　) great (　　　).
1747	彼は公認世界記録をうちたてた.	He set an (　　　)(　　　)(　　　).
1748	面白いテレビ番組がほとんどない.	There are few (　　　) TV (　　　).
1749	これは面白いゲームだ.	This is an (　　　)(　　　).
1750	彼女はテニスに熱中している.	She (　　　)(　　　)(　　　) playing tennis.
1751	彼は国民的英雄になった.	He became a (　　　)(　　　).
1752	チャップリンは多くの無声映画に出た.	Chaplin appeared in many (　　　)(　　　).
1753	映画館の前で事故が起きた.	In front of the (　　　)(　　　) there was an accident.
1754	「タイタニック」は退屈な映画だった.	'Titanic' was a (　　　)(　　　).
1755	客は皆，カラオケを楽しんだ.	All the guests (　　　)(　　　)(　　　) karaoke.
1756	私は毎週日曜日は映画を見に行く.	I (　　　)(　　　) the (　　　) on Sundays.

Lesson 30 文学・芸術 本冊 p. 246, 247

英語を書いて覚えましょう。そのあと，音声を聞いて音読しましょう。

No.	単語を2回書きましょう			ミニマル・フレーズを完成しましょう
1757	classical 古典の			( ) music クラシック音楽
1758	genius 天才			a musical ( ) 音楽の天才
1759	musician 音楽家			a talented ( ) 才能のある音楽家
1760	charm 魅了する，魅力			be ( ) by ～ ～に魅了される
1761	concert コンサート			give a ( ) コンサートを開く
1762	instrument 楽器，器具			a musical ( ) 楽器
1763	original 最初の，原作(の)			the ( ) version 原曲
1764	festival 祭り			a school ( ) 学園祭
1765	main 中心の			the ( ) role in the play 芝居の主役
1766	mysterious 不可思議な			( ) smile 謎の微笑
1767	novel 小説			a new ( ) 新しい小説
1768	paragraph 段落			a few ( ) 数段落
1769	poem 詩			write ( ) 詩を書く

月　日

例文の日本語訳	例文を完成しましょう
1757 私はクラシック音楽が好きだ.	I like (　　　)(　　　).
1758 彼は音楽の天才だ.	He is a (　　　)(　　　).
1759 彼女は才能のある若い音楽家だ.	She is a (　　　) young (　　　).
1760 彼らは彼女の歌に魅了された.	They (　　　)(　　　)(　　　) her song.
1761 その歌手はコンサートを開いた.	The singer (　　　) a (　　　).
1762 あなたは何か楽器を演奏しますか.	Do you play any (　　　)(　　　)?
1763 これはそのオペラの原曲だ.	This is the (　　　)(　　　) of the opera.
1764 私たちは先週学園祭をした.	We had a (　　　)(　　　) last week.
1765 彼女は芝居の主役を演じた.	She played the (　　　)(　　　) in the play.
1766 モナ・リザの謎の微笑が私たちを魅了する.	Mona Lisa's (　　　)(　　　) charms us.
1767 彼は新しい小説を書き始めた.	He began to write a (　　　)(　　　).
1768 私は自分の家族について数段落書いた.	I wrote a (　　　)(　　　) about my family.
1769 彼は詩を書くのが好きだ.	He likes writing (　　　).

学習ノート Unit 3

英文校閲者

Edward M. Quackenbush

表紙デザイン

(株)ひでみ企画

2021年 1 月 15 日　第 5 刷発行
2013年 10 月 20 日　第 1 刷発行

著者　美誠社編集部
発行者　谷垣誠也
印刷所　共同印刷工業㈱

発行所　有限会社　美誠社

〒603-8113　京都市北区小山西元町37番地
Tel.(075)492-5660(代表)：Fax.(075)492-5674
ホームページ https://www.biseisha.co.jp

ISBN978—4—8285—3263—9